Gabriele Picco

Edizioni Essegi

MY PLACE IN THE SPACE

ART AT THE TURN OF THE MILLENNIUM

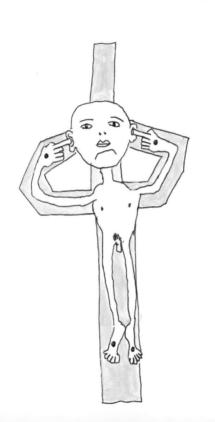

HOT AND COLD

I WAS AN ANGEL

BOMB

RED YELLOW AND BLUE

LOVE BOAT

HEY, LOOK AT THE SKY

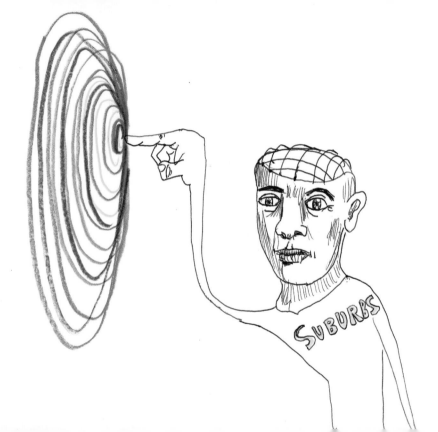

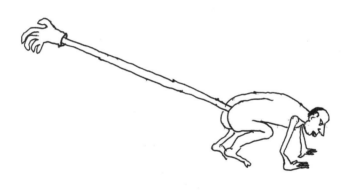

ALMOST LOVE

NEW GUERNICA

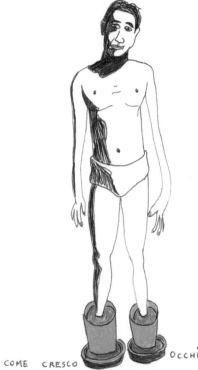

COME CRESCO OCCHI

NEI TUOI

BAZARU FRoM ITALY

I'M GOING

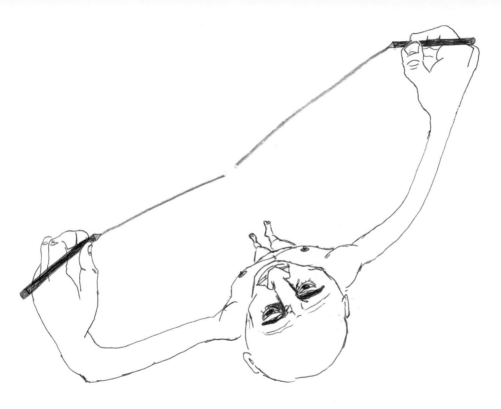

ESCAPE

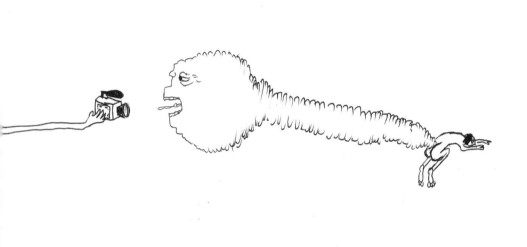

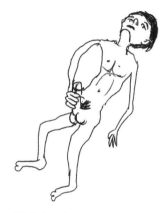

CLAUDIA CARDINALE

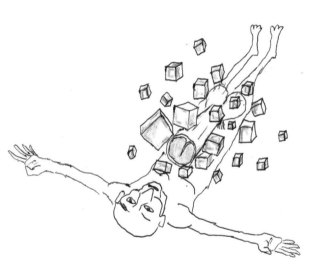

ice ice ice

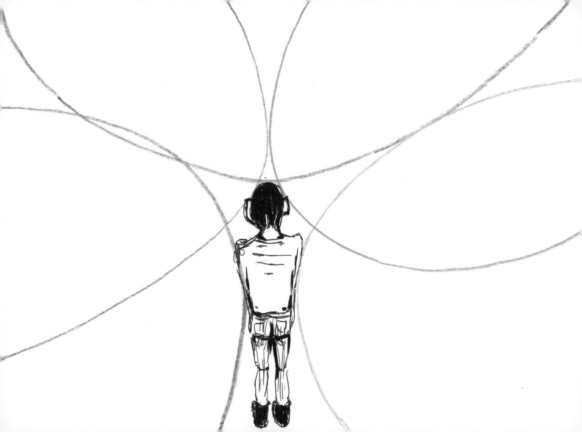

HALF OF ME LOVES YOU

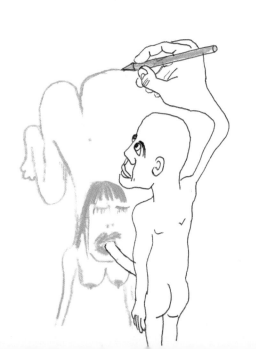

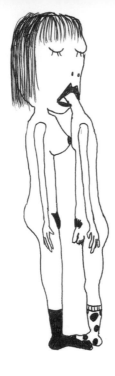

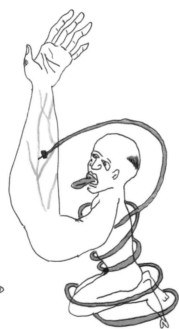

BLOOD AROUND

OH, MUM, OH BABY, LOOK AT THE WINDOW

WHERE DO YOU COME FROM?

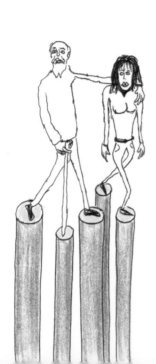

SELF PORTRAIT AS ALLEN GINSBERG

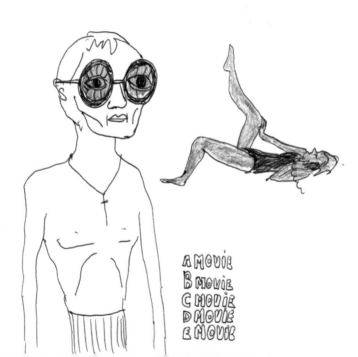

A MOVIE
B MOVIE
C MOVIE
D MOVIE
E MOVIE

S.O.S. LANDSCAPE

MY FIRST AND LAST CONFESSION
(1982)

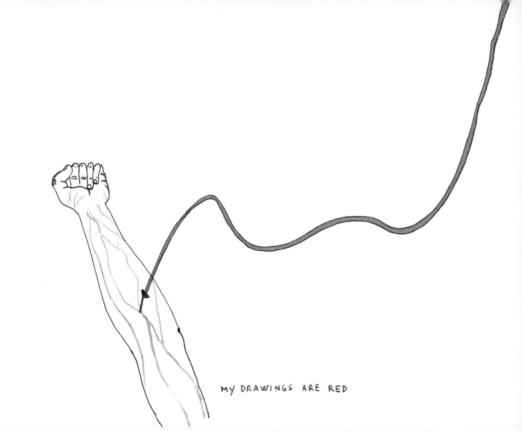

MY DRAWINGS ARE RED

WANNA BE MY SON ?

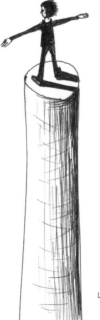

NEW   L A N D   S C A P E

RIMINIMUM

MY MOTHER AND MY FATHER

(TELL ME A SECRET)

A CIRCLE

OH MY GOD

OH

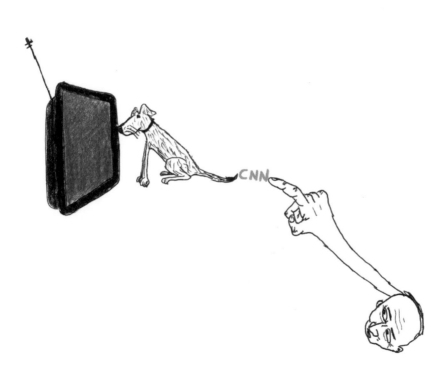

COLLAPSE

THE THREE AGES

WAITING FOR THE PAINTING

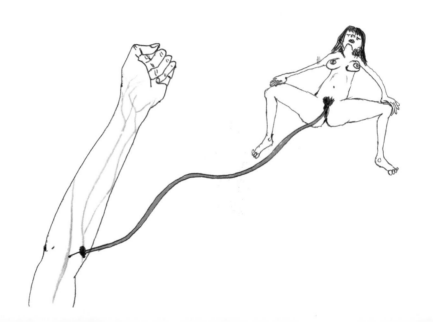

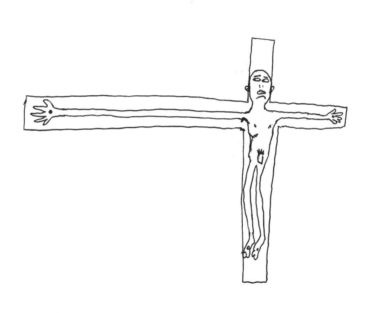

OK, OK, OK ... INSIDE?

GRANDFATHER

AROUND THE WORLD

IO SONO UN AUTARCHICO

TELL ME A SECRET ABOUT **TORINO**

TO DRIVE

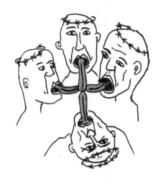

2002   AFTER CHRIST

THE MiX MAN

S.O.S.

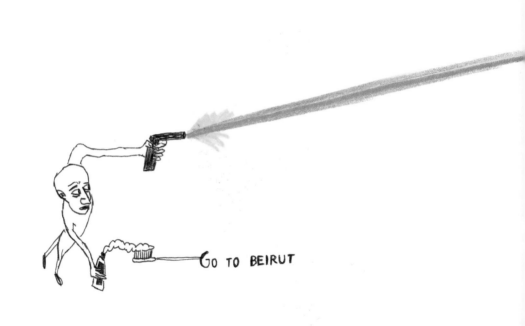

PAINTING FOR THE THROAT

L'UOMO MUORE

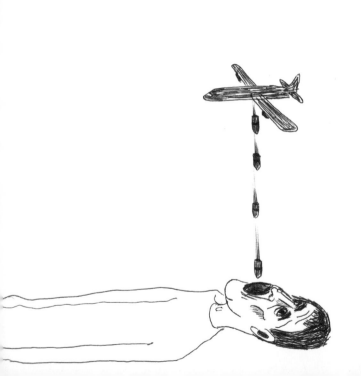

GIVE ME TIME

yesterday with Simon Armitage

MEMORY DOESN'T SAVE

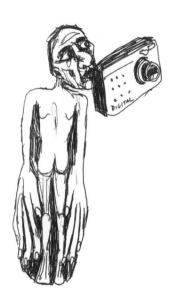

I AM A DIGITAL MAN

DUNLOP HEART

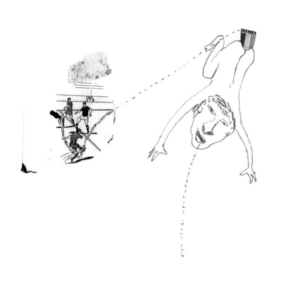

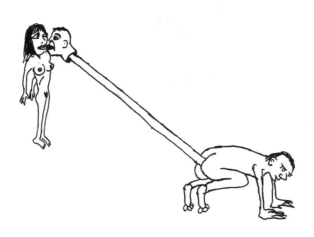

FAITH NO MORE

DIRECTION

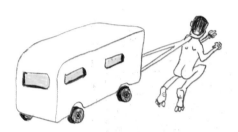

Questi disegni sono stati realizzati nel 2002 in occasione della mostra
Il mondo in bocca, Le Case d'Arte, Milano.

These drawings were made in 2002 for the exhibition
Il mondo in bocca, *Le Case d'Arte, Milan.*

cm 21 x 30
penna e matite colorate su carta
su alluminio

pen and colored pencils on paper
on aluminium

Gabriele Picco
è nato nel 1974 a Brescia

Mostre personali / *One person shows*

2002
- *Il mondo in bocca*, Le case d'arte, Milano
- MAC, Russi (Ra)

2001
- Le case d'arte, Milano
- Spazio Bocconi Arte, Milano

1999
- *Disegni dal sottosuolo*, Galleria Loft, Valdagno

1998
- *Disegnacci e disegnini*, Viafarini, Milano

Principali mostre collettive / *Group shows (selection)*

2002
- *Necessary kids*, Museo Montevergini, Siracusa
- *Verso il futuro, identità nell'arte italiana 1990-2002*, Museo del Corso, Roma
- *Nuovo spazio italiano*, Galleria Civica d'Arte Contemporanea, Trento

2001
- *Junge Italianische malerei*, Binz & Kramer – Ernst Hilger Gallery, Colonia-Vienna-Parigi
- *Pay attention*, MAN, Nuoro
- *Invasione Italiana*, Museo Montevergini, Siracusa
- Biennale di Tirana, Tirana
- Premio Guarene, Fondazione Re Rebaudengo, Guarene d'Alba (Cn)

2000
- *Ironic*, Trevi Flash Art Museum, Trevi (Pg)
- *La generazione più attesa*, Torre del castello, Covo (Bg)

- *Europa: differenti prospettive nella pittura*, Fondazione Michetti, Francavilla al mare (Ch)
- *Futurama*, Museo Pecci, Prato
- *Malerei*, Monika Spruth Gallery, Colonia
- Onufri prize, Tirana
- *L'ombelico del mondo*, Ex Mattatoio, Roma

1999
- *Facts and Fictions*, Galleria In Arco, Torino
- *Pompeiorama*, Casina Pompeiana, Napoli

1997
- Fondazione Ratti, ex Chiesa di S. Francesco, Como
- *32 artisti internazionali - Tracce di un seminario*, Viafarini, Milano

1996
- *Primo premio Trevi Flash Art Museum*, Trevi (Pg)

1995
- *Conoscere*, Spazio Viafarini, Milano

Edizioni Essegi
via Villanova 58 – 48010 Villanova di Ravenna (Ra)
tel 0544 499203 fax 0544 499076
essegi_libri@libero.it
www.edizioni-essegi.it

Finito di stampare nel mese di novembre 2002